Thanksgiving

Coloring and Activity Book

for Kids

THANKSGIVING

COLORING AND ACTIVITY BOOK

FOR KIDS

MAZES, COLORING, DOT TO DOT, WORD SEARCH, AND MORE!

1
2
3
4
5
6
7
8
9
10
11
12
13
14
15
16
17
18
19
20
21
22
23
24
25
26
27
28
29
30
31
32
33
34
35
36
37
38
39
40

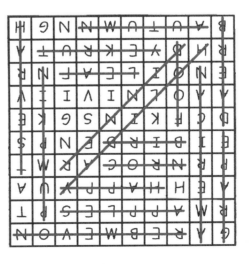

G	A	R	E	B	M	E	V	O	N
R	M	A	P	P	L	E	S	P	T
A	E	H	H	A	P	P	Y	U	A
P	R	N	R	O	C	A	R	M	T
E	I	B	I	R	D	E	N	P	S
D	C	F	K	I	N	S	G	K	E
A	A	O	L	N	I	V	I	I	V
E	N	O	I	L	E	A	F	N	R
R	H	D	Y	E	K	R	U	T	A
B	A	U	T	U	M	N	N	G	H

AMERICAN
APPLES
AUTUMN
BIRD
BREAD
CORN
DINNER
FOOD
GRAPE
HAPPY
HARVEST
HOLIDAY
LEAF
NOVEMBER
PUMPKIN
TURKEY

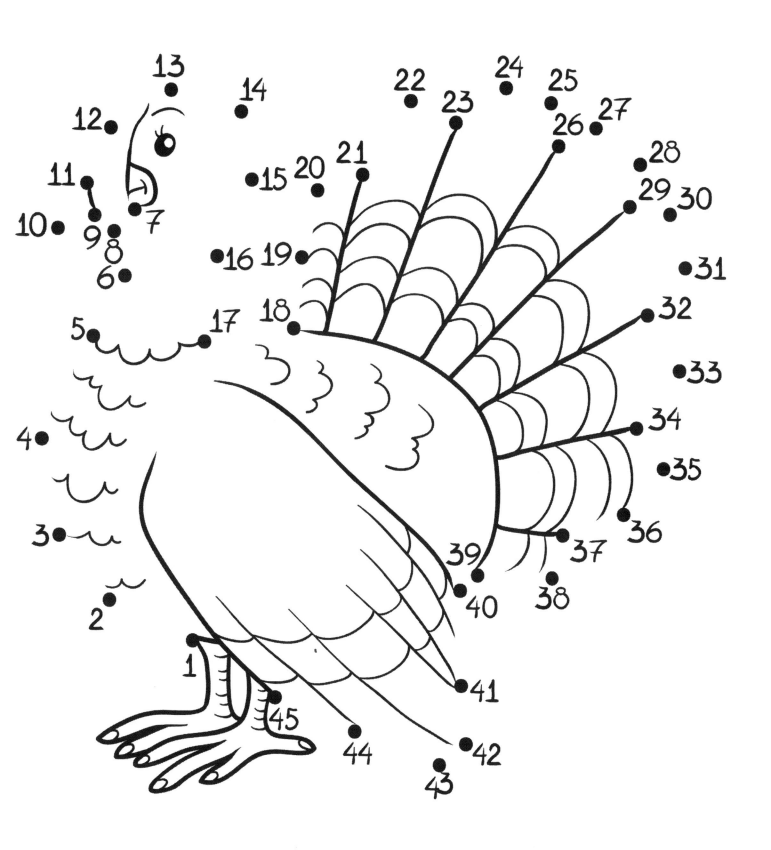

What Comes Next?

CROSSWORD

Find the right way

HAPPY Thanksgiving

4
3
2
1

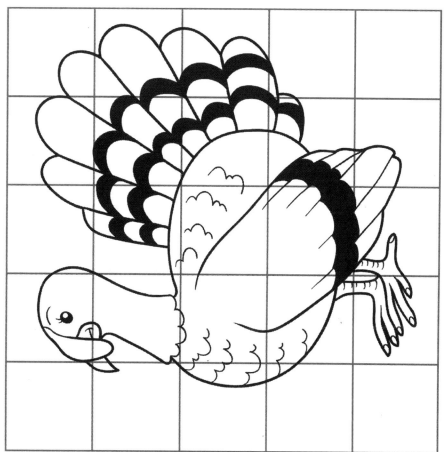

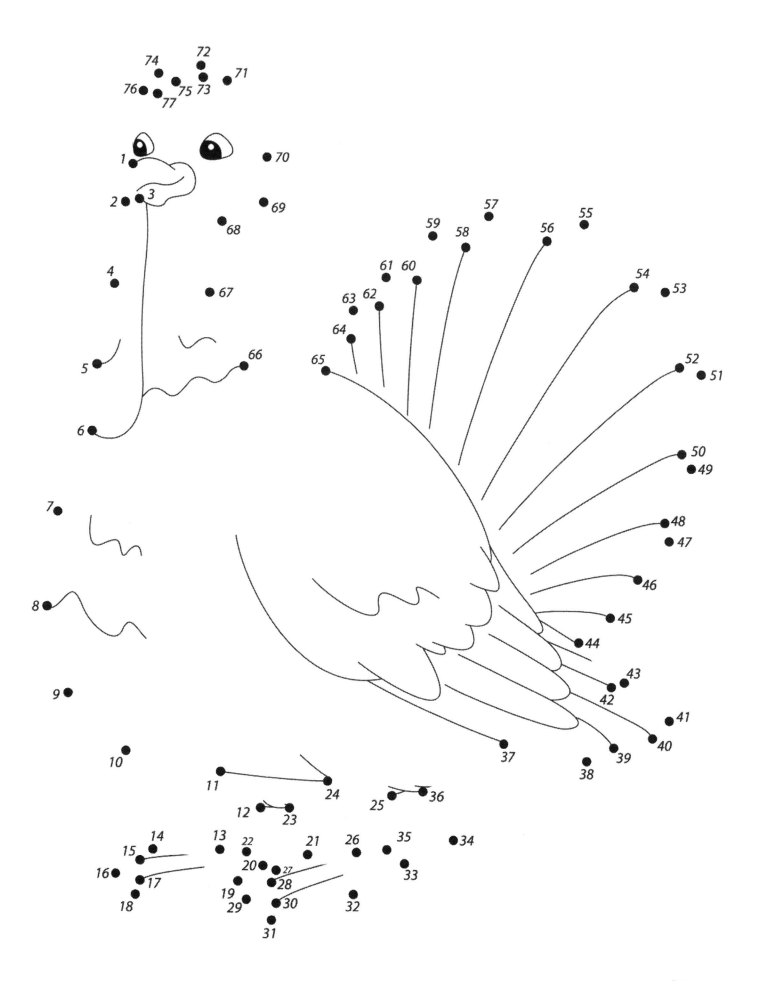

1 - light blue   2 - gray   3 - green   4 - dark green   5 - yellow
6 - orange   7 - red   8 - brown   9 - pink   10 - black

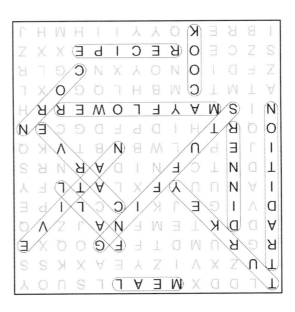

FALL FEAST

```
T L D D X M E A L L S U O Y
T U Z X V I Z Y E A X K S S
R G R U M D T F F G O Q X E
A D D K T E M F N A J Z V Q
D V I G E J K I C C L I P E
I A N U U Y F X L A T L F Y
T D N T C F N I D A R N R S
I J E P U L W B N B T V K Q
O Q R T H I D P F D G C E N
N I S M A Y F L O W E R R H
A T M T C M B H L Q G O X L
Z F D I O N O Y X N C G L R
S Z C E O R E C I P E X X Z
I B R E K Q Y Y I I H M H J
```

Carve	Meal
Cook	Native
Corn	Recipe
Dinner	Stuffing
Fall	Tradition
Mayflower	Turkey

Connect numbers with a suitable number of objects

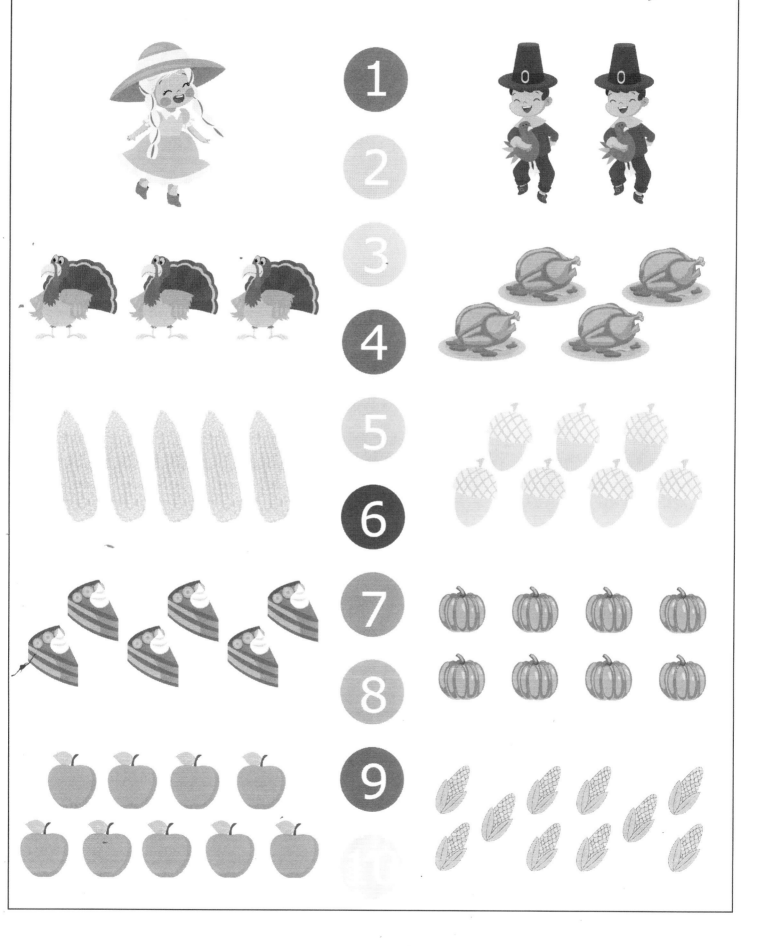

MAZE GAME

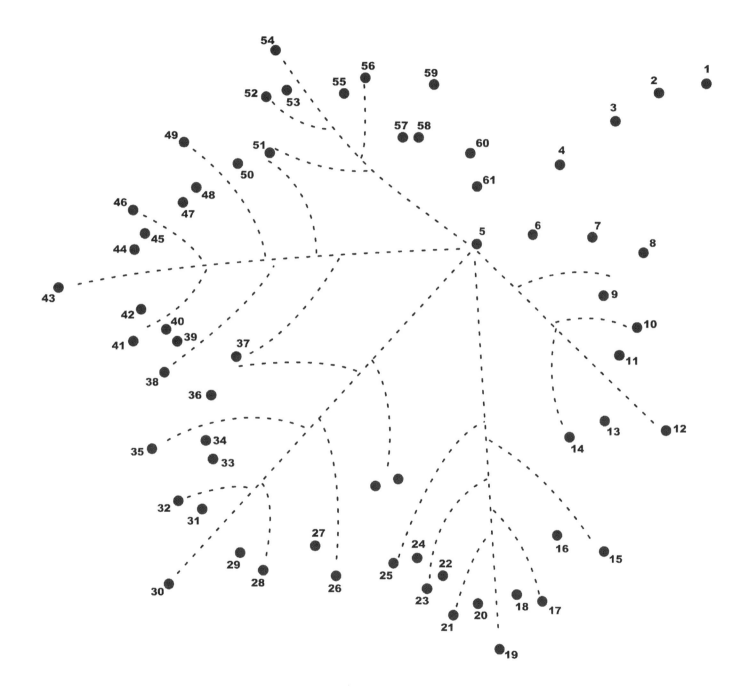

1 = brown
2 = dark gray
3 = tan
4 = dark red
5 = light blue
6 = yellow
7 = light gray
8 = green

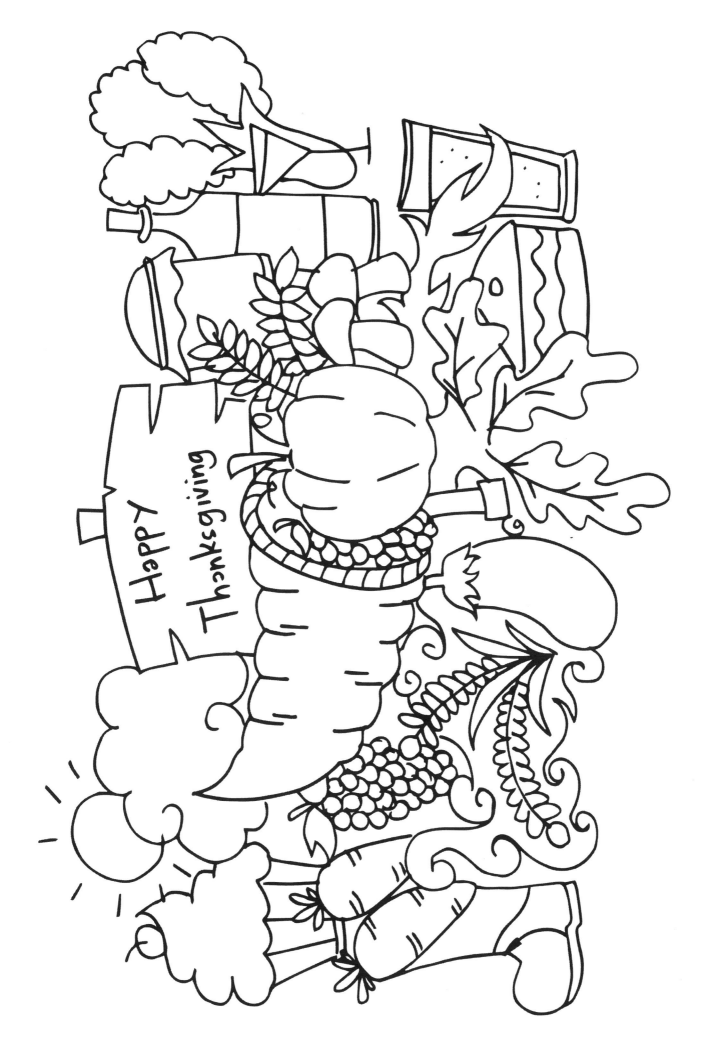

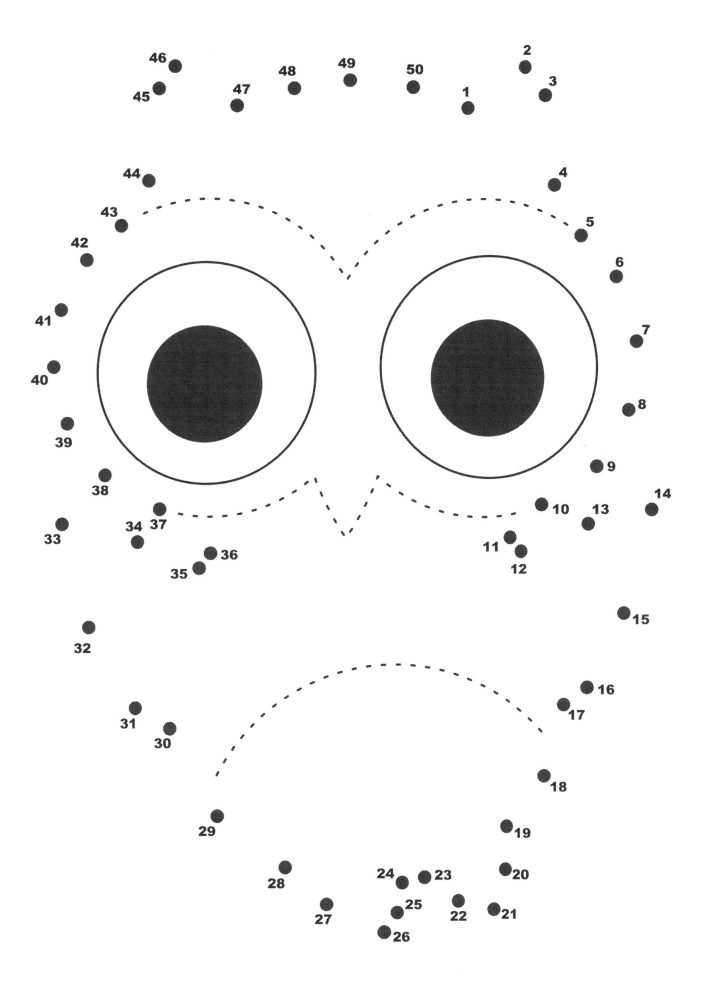

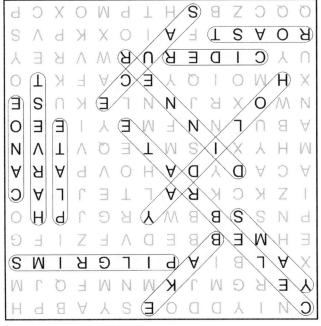

Autumn Word Search

AUTUMN WORD SEARCH

```
C N I Y D D O E S Y A B P H
Y E R G M J K M N M F Q J M
X A L B I A P I L G R I M S
E H M E B B E D V F Z I F G
P N S S B B W Y R G J P H O
I Z K C K R A L T E J L A C
A C A D Y D A H O V P A R A
M H Y X I S M T E Q V T V N
A B U L N N F M E Y I E E O
N W O X R J N N L E K U S E
X H M O I Q Y E C A F K T O
U Y C I D E R U R W V R E Y
R O A S T F A I O X K P V S
Q Q C Z B S H T P M O X C P
```

bake	dinner	plate
canoe	harvest	roast
celebrate	holiday	sauce
cider	pilgrims	yams